事实还是假象 FACT OR FAKE

冰可以 用来 生火吗？

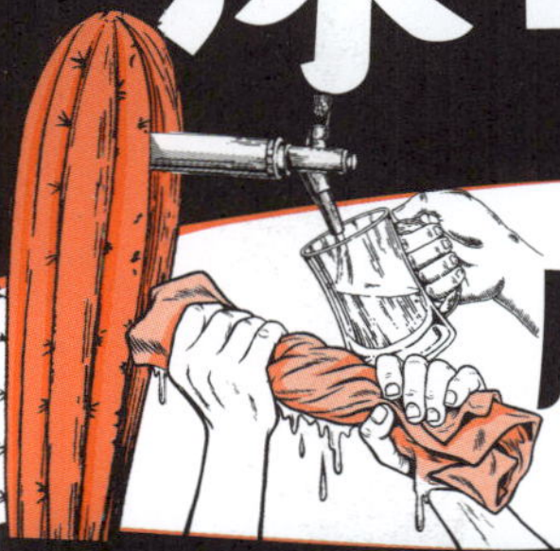

[英]安娜贝尔·萨弗里 著　郭渭 译

生存真相 大揭秘！

湖南科学技术出版社·长沙

图书在版编目（CIP）数据

事实还是假象 . 冰可以用来生火吗？生存真相大揭秘！/
（英）安娜贝尔·萨弗里著；郭澍译 . — 长沙：湖南科学技术出版社，2024. 12.
ISBN 978-7-5710-3109-1

Ⅰ . Z228.2

中国国家版本馆 CIP 数据核字第 2024ST9372 号

Fact or Fake: The Truth about Survival Skills

First published in Great Britain in 2022 by Hodder and Stoughton

Copyright © Hodder and Stoughton Limited, 2022

All Rights Reserved.

著作权合同登记号：18-2024-107

事实还是假象：冰可以用来生火吗？生存真相大揭秘！

SHISHI HAISHI JIAXIANG：BING KEYI YONGLAI SHENGHUO MA？SHENGCUN ZHENXIANG DA JIEMI！

著　者：[英]安娜贝尔·萨弗里	译　者：郭　澍
出 版 人：潘晓山	责任编辑：李　叶　谷雨芹　谢俊木子

出版发行：湖南科学技术出版社

社　　址：长沙市芙蓉中路一段 416 号泊富国际金融中心

网　　址：http://www.hnstp.com

印　　刷：湖南省众鑫印务有限公司（印装质量问题请直接与本厂联系）

厂　　址：长沙市榔梨街道梨江大道 20 号

邮　　编：410600

版　　次：2024 年 12 月第 1 版

印　　次：2024 年 12 月第 1 次印刷

开　　本：880 mm×1230 mm　1/32

印　　张：3

字　　数：58 千字

书　　号：ISBN 978-7-5710-3109-1

定　　价：36.00 元

目　录

你能分清
事实和假象吗？

动物能闻出
恐惧。
毋庸置疑！

死去的骆驼是
完美的睡袋。
什么？！

要赶跑鳄鱼就
戳它的眼睛。
做不到！

阳光可以起
到净化水源
的作用。
真的吗？！

关于那些关键时刻能保命的生存技能，有哪些是人们以讹传讹的谎言？又有哪些是令人大跌眼镜的真相？翻开本书，一起来寻找答案吧——拨开真真假假的迷雾，探索背后的科学真理。这些时而神奇，时而怪诞，但绝对新奇实用的生存技能，一定会让你的亲朋好友对你刮目相看！

没有食物，人可以存活的时间比没有水长

是真是假？

如果我们不喝水，身体最多能坚持3天，当然这也取决于我们在做什么。但如果我们不吃东西，身体能坚持30~40天。不过，假如我们同时在运动或身处高温环境，这个基本原则也会很快发生改变。

展开说说

正常来说，我们每天需要大约10杯水来维持机体的运转。身体失水的过程包括出汗、呼吸、撒尿等。如果天气很热，或是你在运动，身体失水会更快一些。不吃东西的话，身体可以依靠囤积的脂肪或肌肉来获取能量，能量消耗时间长短取决于我们的体形。

缺水

许多人能享受到充足的水资源，但全世界仍有超过10亿人无法喝到洁净的水。

结论

真

黑莓灌木唯一的用处

就是能结出黑莓

> 菜可远不只做馅饼好吃！

是真是假？

黑莓灌木是一种长在开阔地的矮树丛，有着尖利虬结的树枝，能结出黑莓。虽然我们平时采摘黑莓，可能只是直接吃或做成黑莓布丁，但其实这些长满尖刺的灌木的用处远远不止这么简单，它们浑身都是宝！

展开说说

最基本的一点就是这种植物的茎也能吃，只要先去掉上面的尖刺就行。它的叶子可以煮茶喝。那些更硬更干的茎则可以做成渔线或绳子。其叶子还能用来缓解烧伤，或者消肿。总之，如果你被困在野外，浑身是宝的黑莓灌木将是一种非常有用的植物。

结论

假

3

荨麻可以做成绳子

是真是假？

假设你在树林里迷了路，正在搭起一个临时的棚屋，可是当你需要将它栓牢时，却发现没有绳子。四下里一看，只有一株长满刺的荨麻……

展开说说

被荨麻扎一下确实很难受，但它也非常有用。戴上手套，小心摘取一株高高的荨麻，然后把叶子去掉。茎里藏着的，就是天然又结实的绳子。剥掉荨麻茎表皮带刺的荸毛，把剩下的植株压扁后撕开，再将外部粗糙的纤维剥下。这些纤维晾干后，就可以编成结实的绳子了。

用处多多的野草

荨麻的用处可不止编成绳子这么简单——它的叶子煮熟可以吃，和菠菜的口感差不多。荨麻还有药用的功效。除此之外，它还是许多昆虫的重要食物！

结论

真

4

只有在海上时才能靠星星导航

如果你能看到夜空中的星星，那么就可以利用它们来辨明方向。靠星星来导航需要不断练习，不过一旦熟练掌握了，这确实是一项很有用的技能。水手常用星星导航，因为海上其他航标很少，甚至没有。不过，不光是在海上，陆地上也同样可以通过看星星来导航！

跟着那颗星星！

展开说说

观星的第一步，是要找到那个关键的星座。如果在南半球，你要找到南十字座。它里面相距最远的两颗星之间的连线就指向南方。在北半球，则要找到北斗七星。北斗七星的形状像一把勺子，顺着勺口对着的方向，就能找到位置不动、能指示北方的北极星了。

结论
假

要赶跑鳄鱼就戳它的眼睛

呜呜呜，你居然戳我眼睛！

展开说说

是真是假？

难以想象我们会身处一个需要打退鳄鱼的环境。不过，以防万一，假如真有这么一天，你或许可以通过攻击鳄鱼的眼睛来脱险。鳄鱼的眼睛、咽喉和鼻孔，都是它最脆弱敏感的部位。

鳄鱼有20多个种类，包括我们常说的鳄鱼、短吻鳄、凯门鳄、恒河鳄等。虽然有一些鳄鱼很小，不足以对人类构成威胁，但有的鳄鱼很大，很危险。避免危险最好的方式就是了解哪些水域中有鳄鱼，然后躲得远远的！

血盆大口

尼罗鳄是一种体形较大的鳄鱼，它的咬合力是人类的近5 000倍。

结论

真

先别说住哪儿，先说说我吃啥？

迷路后
最要紧的
是找吃的

走了一天路，肚子饿得咕咕叫，此时找吃的似乎理所当然是天下第一等大事。不过，如果在森林里迷了路，比起晚饭吃什么，有几件事是需要抓紧先落实好的。

结论

假

首先，需要找到一个安全的容身之处——要远离动物以及其他危险因素，如落石、悬崖。然后，需要搭一个临时的住所。不吃东西，身体尚且能扛一阵子（参见第2页），可是不喝水就没几天可活了。所以，迷路后，要先保证安全，然后在想办法脱困或等待救援时能保持温暖并有足够的水源。

树
可以为我们指明方向

走这边!

用树来辨别方向的一个好处就是它是固定的，不像其他参照物一样不稳定，比如太阳、星星这些。最好找一棵独自生长的树，离远一点绕着它多走几圈，并观察它的结构。

展开说说

树的结构不对称，它们的生长方式会受到周边环境的影响。北半球的树，朝南的一侧受到的光照最充足，因此南边的枝叶长得最茂盛，枝干方向多数与地面平行。而树的背阴侧叶子较少，树枝多向上生长。在南半球，枝叶茂盛的一侧朝北。

对苔藓的误解

有一种误区认为，苔藓会长在树的北侧（南半球为南侧）。这一说法很容易误导人，因为苔藓的生长很随意，它想长在哪儿就长在哪儿！

结论

真

8

被蛇咬了可以把毒液从伤口中吸出来

这也是影视剧导致的一大误区，这么做实际上根本没用。反而，吸伤口的人可能会被蛇毒感染，被吸出去的毒液中可能含有病菌，这些病菌也容易引发感染。

展开说说

如果有人被蛇咬了，最好的处理办法是按压并包扎其伤口，然后立即寻求帮助。伤者可以脱掉身上较紧的衣服，避免伤口引起肿胀。还应该记住"肇事"蛇的模样，以便在救护人员到来时向他们描述。

结论

假

手表
可以当
指南针
用

这一用途仅限于带指针且指针在表盘里转圈走字的手表。很遗憾，电子表或智能手表无法实现这一功能。哦，对了，还需要有阳光……

展开说说

在北半球，要想把手表变成指南针，需要将时针对准太阳。然后找到12点和时针之间的中点的指示方向，这就是南了。在南半球，把12点对准太阳，12点和时针之间的中点指向的就是北了。

结论

真

10

可以通过吃雪补水

是真是假？

饮用水被喝光了，又恰好在雪地上，这时你是不是会想，也许能以雪代替水？雪不就是水结成冰了吗？大错特错！雪其实主要由空气构成，所以要想摄入足量的水，你得要吃掉大量的雪才行。

展开说说

即便你真能吃下那么多的雪，也无法保证身体里水分充足。你的身体还要设法给吃进去的这些雪加温，这一过程会让身体消耗掉更多的水分，从而导致更严重的脱水。所以在雪地里缺水时，最好是先把雪融化掉再喝。

雪球

万般无奈之下，有雪水总好过一滴水都没有。可以把雪团成小雪球，然后吸里面的水，每吸一口，嘴巴就会让雪球融化一点。

结论

假

11

采摘野生蘑菇食用可能 极其 危险

是真是假?

虽然一些蘑菇和菌类看上去很诱人,但是采摘之前还是要三思。问题的关键在于,有一些毒蘑菇长得和可食用菌类简直一模一样。哪怕你只是手上沾了它的化学物质,都可能有危险。

结论......
真

展开说说

已知的蘑菇有一万多种。其中有一些是不能吃的——太硬了，嚼不动。有一些是吃了会让人不舒服的，还有一些吃了会要人命。有的蘑菇能吃，但口感不太好，只有极少数的蘑菇是非常鲜美的。要想采蘑菇，最好是跟着一个对蘑菇了如指掌的人，他们能区分哪些是有毒的，哪些是人间美味。

菇如其名

许多致命的毒蘑菇，光看名字就"有毒"：催吐菇、毒馅饼、傻子漏斗、死亡尖帽、魔鬼牛肝菌、毁灭天使……

13

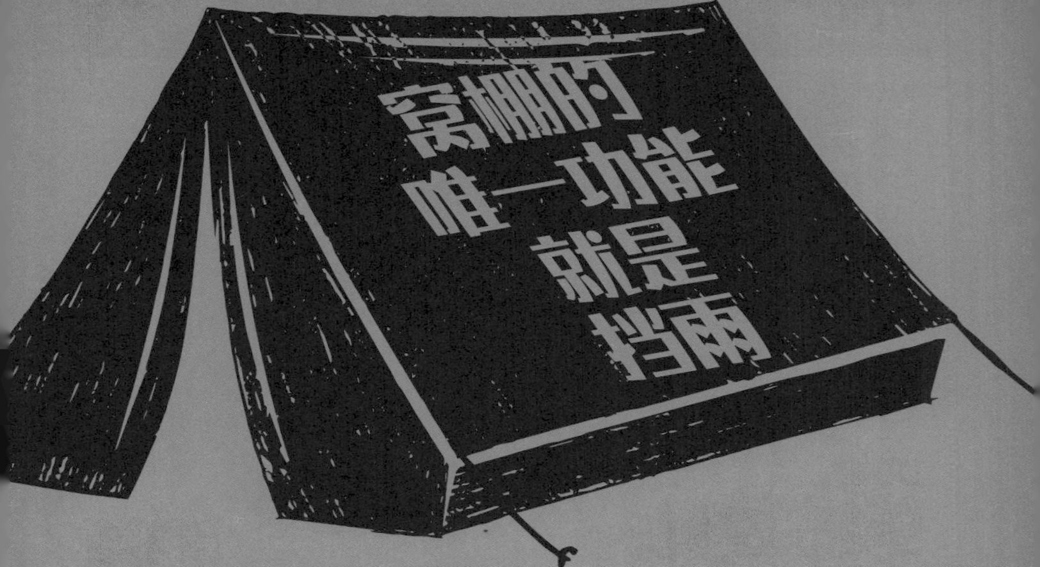

窝棚的唯一功能就是挡雨

是真是假?

窝棚可不仅仅是搭在头顶上的一个棚子。一个好的窝棚取决于你所处的环境,但你一定要记住,窝棚绝不应该只用来避雨。

展开说说

窝棚必须能在任何天气下都保你安全无虞,不管风吹、日晒还是雨淋。还要注意,底部多垫几层也是很有必要的,这样可以抵挡地里上升的寒气。如果你要生火,要注意火堆不能离窝棚太远,不然不暖和;当然也不能离得太近,否则会把窝棚给点着了!

穿在身上的宝贝

搭窝棚时,可以看看身上穿的有哪些是可以被用上的。鞋带和碎布条用来固定窝棚的支架可是再好不过了。

结论
假

只用小木棍就能生火

是真是假？

当然是真的！不过这确实是一项艰巨的任务。最重要的是，要用干的木棍，还要有极大的耐心。生火前要先找一些火引子，一般是像种子壳之类的干燥物质，还要有小的引火棒，在火点着后能让火燃起来。

展开说说

用木棍生火的精髓是摩擦。两个物体互相摩擦会产生热量。最终，会钻出一个像未燃尽的灰烬一样的小火苗。有了这个火苗后，要一边添柴，一边轻轻地吹。如果顺利，火苗会越烧越旺，接下来让它一直保持燃烧就好！

啪嗒——嘶——！

用这样的方式生火非常费事，会让你满头大汗。这时候千万要小心，"啪嗒——嘶——！"哪怕只是一滴汗珠，都会让来之不易的小火苗被熄灭！

结论

真

15

为了活命，人可以喝自己的尿

是真是假？

你可能会想，人在面临绝境时，既没有水，也没有希望能找到水，这时，最好的办法就是喝尿了。在某些情况下，这确实是聊胜于无的权宜之计。但喝尿非但不怎么能解渴，还会引发更多问题，反而得不偿失。

展开说说

尽管尿里95%都是水，但它也包含盐和尿素。尿素是由身体不需要的废弃物构成的，这些废弃物经肾脏过滤后被排出体外。喝了含盐的尿，会导致人体脱水愈加严重，同时，肾脏为了排出更多的尿素，负担也更重了。

太空中的水

水在国际空间站是稀缺之物，宇航员必须珍惜每一滴水。所有的废水，包括尿，都必须被收集起来，经过滤系统处理后，变成可以再次饮用的水！

结论

假

任何时候都不能砍断登山绳

是真是假？

通常情况下，没错，确实不能砍断登山绳。但是特殊情况时需要采取特殊行动。有这么两名登山者，乔·辛普森和西蒙·耶茨，他们在爬秘鲁的安第斯山脉时遇险了：乔不慎滑落并摔断了腿。

展开说说

西蒙努力用绳子将乔放下一段山路，但是由于天太黑，乔从悬崖边上掉了下去。乔下落的过程中，西蒙也被拽向悬崖边。就这样僵持了一阵，西蒙做出了一个艰难的决定：与其被乔拖下悬崖，不如把绳子割断。乔落入一个冰川裂缝中，奇迹般地设法爬到了安全的地方。两个人都活了下来，而且两人的感情没有因此产生任何嫌隙。

结论

亦假亦真

迷路了要大声呼救

迷路了大声呼救看似无可辩驳，但除非你知道附近有人，否则这绝不是个好主意。大喊大叫只会消耗体力，而在野外生存，保存体力才是至关重要的。不论是搭个栖身的窝棚，还是在野外保证自身的安全，这些都需要我们保存足够的体力。

展开说说

虽然大喊大叫不是上策，可弄出声响绝对是。包里装个哨子，是应急装备的优选，它可以在你需要求救时帮上大忙。如果没有哨子，就用两根棍子互相敲击，或是用棍子敲打各种金属物品，这样做不仅便于被救援人员发现，还能把野生动物吓跑。

哔——哔——哔——
SOS是国际通用的求救信号（参见第27页）。三短、三长，再三短，这样的哨音就会让别人知道你是在求救了。

18

结论
假

探险时个人定位
应该保密

是真是假?

2003年4月,美国探险家阿伦·罗斯顿到位于美国犹他州的蓝约翰大峡谷探险。这是一条深达17千米的裂缝,某些地方仅有1米宽。关于自己的探险地点,阿伦事先没有告诉任何人。他的冒险成了一场噩梦。

电影时间

阿伦的经历被拍成了一部电影,叫《127小时》,于2010年上映。

展开说说

阿伦此前曾多次独自探险,但这次,意外发生了。阿伦的胳膊被一块掉落的巨石压住了。为了离开峡谷,阿伦不得不将被压一侧胳膊的小臂砍断。后来,他竟然奇迹般地活了下来,成功等来了救援。所以,不论是外出远足、登山,还是参加别的户外运动,一定要提前把你的行程告知某个人,比如你要去哪儿,计划什么时候回来,等等。

结论

假

迷路了应该"原地不动"

"原地不动",是指"S.T.O.P."这四个英文字母缩写的字面意思,其实四个字母分别有各自的含义:S代表停止,T代表思考,O代表观察,P代表计划。出门在外,一定要记住这四个字母,关键时刻,它们没准能救你一命!

展开说说

感觉自己迷路了,最要紧的是赶紧停下来。迷路了,快速奔跑,尝试找到来时的路,也许是人类本能,但最好是待在原地,等待恐惧心理渐渐平复下来。然后是思考接下来该怎么办,观察周遭的一切,看看是否有什么能用上的,从而计划下一步动作。

结论
....
真

我迷路了!

在撒哈拉沙漠
迷路了
也可能活下来

是真是假?

这是一件难以办到的事,不过有一个叫莫罗·普罗斯佩里的人就做到了!他参加了一场超级马拉松,在一场沙暴中迷路了。可他最终徒步300千米,安全走出了沙漠。

太大了!
撒哈拉沙漠的面积约为966万平方千米,是世界上最大的干沙漠。在这里迷路可不是什么好事!

展开说说

普罗斯佩里被沙暴困住时,和其他运动员走散了。许多搜寻团队出动去找他,但都无功而返。他说他以鸟蛋、蝙蝠和甲虫等为食才活了下来。他只在清晨和夜里赶路,白天就找阴凉处躲起来,晚上为了保暖,睡觉时会把沙子盖在身上。

结论
真[1]

---
1 不建议大家在任何沙漠里迷路。

21

末日准备者

是一群随时准备冒险的人

是真是假?

其实,他们是一群随时准备逃生的人。他们有时也被称为生存主义者。他们收集装备、学习技能,万一遇到毁灭世界的大灾难,这些都能让他们在脱离"正常社会"的情况下活下来。

展开说说

"末日准备者"中的"准备"包括准备好可供长期生存的食物,学习急救知识和防身技能,练习野外扎营和觅食技能。一些人的准备还包括建造掩体:一个安全隐蔽的生存空间,让他们可以在里面存活一定时间。

撤离!

"撤退"是一个军用术语,意思是抛弃一切,迅速逃离。它也被末日准备者借鉴使用了!

结论

假

22

南极探险者会吃掉他们的狗

吃掉什么?!

是真是假?

危急时刻, 顾不了那么多了。那是在1912年, 莫森、宁尼斯和默茨一行三人组成探险队从南极大本营向东出发, 去探索南极大陆。他们驾着狗拉的雪橇, 满载着足够使用两个月的给养和设备。

展开说说

这三人是道格拉斯·莫森的澳大利亚南极科学考察队的成员。可惜悲剧发生了, 宁尼斯掉进了冰缝, 和他一同掉进去的, 还有大部分的补给、设备和雪橇犬。默茨和莫森只好继续往前走, 最后不得不宰杀并吃掉剩下的雪橇犬才得以活下来。默茨后来也死了, 莫森又独自多活了30天。等到他终于到达营地时, 来营救的船只却刚刚开走!

结论·····
真

昼夜交替

在南极洲, 夏天一直都是白天; 而在冬天, 又是持续6个月之久的黑夜。

23

被龙卷风
卷走
也有生还
的
可能

结论
真

是真是假？

2006年，一场龙卷风席卷了美国的密苏里州，马特·苏特的活动房屋的门窗都被卷走了，然后是他自己。龙卷风把他吸出去，扔到了398米开外的一块地里。除了被摔晕过去以外，苏特并没有其他损伤。

展开说说

在美国，每年可能有超过1 000场龙卷风，造成伤亡无数。不过，苏特并不是第一个被龙卷风卷走还能幸免于难的：据史料记载，此前"乘风而行的旅客"已经有牛、猪、狗等。1999年，美国俄克拉荷马州一个婴儿被龙卷风吹了30米后幸存下来。1955年，在美国南达科他州，一个小女孩和她的小马被龙卷风吹了300米后，活着回来给大家讲述了她的经历。

龙卷风的风力

龙卷风的风力用"藤田级数"（简称"EF级数"）来计量，从EF0到EF5。密苏里那次龙卷风为EF2级，风速达到252千米/时！

掉进急流中要先保护鼻子和脚

是真是假?

漂流运动惊险刺激,但你一定要先记住一个安全忠告,那就是"顾好鼻尖和脚尖"。一旦不慎落入急流,这将是保命的要诀!

展开说说

如果你真的从皮划艇上掉下来,同伴们可能会把你拉上来,或给你扔一条绳子。但是在湍急的水流中,你可能会被冲走。一旦出现这样的情况,一定要努力保持镇静。保持仰躺的姿势,把腿抬起来。鼻子和脚趾头一定要露出水面。用胳膊调整身体姿势,调整到面向下游的方向,同时,让双脚抬高,双臂张开,好增加阻力,让你流得慢一些。

拉呀!

如果真的有人给你扔了一条绳子,在他们拉你上去的过程中,你也要保持仰躺的姿势,这样嘴巴就不会进水了!

结论

真

SOS的意思是"拯救我们的灵魂"

> 拯救我们的灵魂。

是真是假？

1906年，一个国际委员会决定将SOS用作国际通用的求救信号。不过，这三个字母既不代表"拯救我们的灵魂"（Save Our Souls），也不代表"救救我们的船"（Save Our Ship），它们根本不是任何单词的缩写！

展开说说

这几个字母被选中，甚至和它们本身的意义无关。而是因为从摩尔斯密码的语法体系讲，它们便于识别，不易混淆。它们在许多语言中都很好理解，避免了不同国家之间使用不同的救援信号这一问题，因为各国的信号各不相同，已经制造了很多混乱。

救命啊！

随着科技的进步，我们可以发送书面和语音消息，"MAYDAY"也取代了SOS，成为国际求救信号。

结论 ·········
假

27

急救毯可以用在天文望远镜上

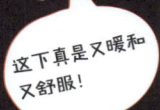

这下真是又暖和又舒服!

是真是假？

自从1964年美国国家航空航天局发明了急救毯，这条薄薄的银色毯子就成为所有急救箱里广为人知的一个部分。急救毯不仅可以在航天科技领域发挥保温作用，还能帮助我们身体维持体温!

展开说说

美国国家航空航天局发明的急救毯是一种塑料，塑料上面镀了一层铝。它被设计得很轻，这样就不会给航空设备增加过多的重量。它还需要在太空急剧变化的温度条件下让设备隔热。急救毯最初是用来保护火箭和太空车的，如今也用来保护马拉松运动员、探险家、卫星和许多其他事物!

无处不在

从阿波罗登月舱，到詹姆斯·韦伯空间望远镜，太空急救毯的材料已在数不清的项目中发挥过作用。

结论

真

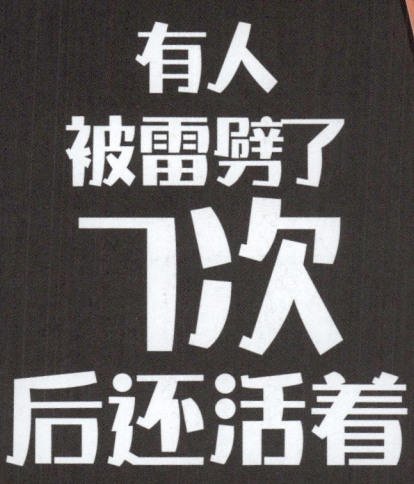

有人被雷劈了7次后还活着

别再来了！

是真是假？

罗伊·沙利文在美国的蓝岭山脉长大。1936年，他成为仙纳度国家公园的一名护林员。虽然老话说"雷不会两次劈中同一个地方"，但是据沙利文自己说，他在1942年至1977年间被雷劈中多达7次。

展开说说

沙利文第一次被雷劈中是在1942年，当时他从一座被雷击中而着火的消防塔里逃了出来。第二次被雷劈是他在开车时，雷从车窗劈了进来。每次雷劈都给他造成一点轻伤，不过每次他都活得好好的。

结论

真

多大概率？

2019年，据美国国家气象局记载，当年被雷电击中的概率是1/1 222 000！

咔嚓咔嚓，真好吃！

动物能吃的东西，人类也可以放心食用

是真是假？

你也许会想，大多数哺乳动物都差不多，所以一只松鼠吃什么，那我们也能吃。鸟类呢？如果一只鸟儿在津津有味地吃一些颜色艳丽的浆果，那么我们也一定可以放心食用，对吗？错！动物，特别是鸟类，能吃许多对人类来说有害的东西。

展开说说

鸟类可以吃对人类来说有毒的浆果，因为鸟类的消化系统里有和人类不一样的化学物质。浆果是许多鸟类基本的过冬食物，特别是当地面冻硬了，它们找不到虫子吃时。而松鼠和其他小型哺乳动物可以吃那些对我们人类来说可能有毒的坚果和菌类。

结论

假

浆果多多

生存是浆果最擅长的本领。它们养育着鸟儿，作为回报，鸟儿四处撒播浆果的种子，使更多的浆果长了出来！

在沙漠里可以生成水

我当然会制造水……

是真是假？

在沙漠里，遇到天然水源的概率极低。缺水时，利用太阳来制造水源不失为一个好办法。这里就要用到温室效应原理了。

展开说说

先挖一个坑，在正中间放一个容器。然后用一块干净塑料布盖在坑上，塑料布边缘用重物压好。接下来，在容器正上方的塑料布上的位置放一块小石头。阳光的热量透过塑料布照进坑里，地里的水蒸发了，水蒸气在塑料布的下方凝结。水滴流到塑料布中间，就会滴落在下方的容器里。

结论

真

31

身上冷的时候应该 立刻 洗个热水澡

好暖好舒服!

是真是假?

冻得瑟瑟发抖的时候跳进温暖的浴缸泡个热水澡,虽然听起来就很舒服,但这其实是非常危险的,而且会很痛苦。温度的急剧变化可能会让身体休克,甚至能引发心脏病。

展开说说

让身子暖和起来最好的方式是先让靠近身体中心的位置暖和起来,比如可以在腋下放两个热水袋。靠在另一个暖和的人身上也是一个好办法。你还应该脱掉所有湿衣服,用温暖干爽的东西把自己裹起来。

太冷了!

人的体温通常在37摄氏度左右。当体温降至35摄氏度以下时,人体会开始打寒战,这种情况被称为失温。

结论

假

把水烧开就能放心喝了

是真是假？

天然的水资源看起来晶莹清澈，似乎很干净，但其实它们是许多病原体、寄生虫和细菌的家园——所有这些东西都可能会让我们生病。由于我们无法判断水到底有多干净，所以把水烧开了再喝是最保险的做法。

展开说说

把水烧开可以杀灭任何藏在水里的肉眼不可见的有害微生物。出发去探险之前，假如无法带上充足的饮用水，一定要确保带着烧水的设备。

结论

真

神奇的虫子

绦虫会在水里产卵。如果人喝了这种水，虫卵会在体内孵化并且在人体的肠道内寄生30年，它们最长可达24米！

可以用烟雾发出求救信号

是真是假？

如果你点了一堆火，又觉得救援队可能正在找你时，可以发个信号帮他们快速找到你。等到火烧得很旺的时候，往火里放一些带有绿叶的树枝可以产生白烟，放橡胶或塑料会产生黑烟。

展开说说

除了改变火堆释放出的烟的颜色，还可以用毯子来发出求救信号SOS（参见第27页）。在烟里挥舞毯子可以制造出代表点和线的烟雾形状。不过，一定要小心，不能让毯子太靠近火源！

结论

真

34

抱树能救命

这下我安全了！

是真是假？

瑞典北方一位野外生存专家曾说，找一棵树抱住能让人在一个固定地方待着，也让人不会感到太孤单。迷路时保持原地不动很重要。四处走动会让救援队很难找到你，还会让你筋疲力尽。

展开说说

在野外，天气状况可能迅速恶化，这时攀在像树这样坚固的物体上会给你带来庇护，还能给你慰藉，让你觉得不那么迷茫。不管多大年龄，迷路总是令人害怕的。抱住树会让你感到安全，还能让你待在一个固定的地方，便于救援队找到你。

抱着树就能活

"抱着树就能活"，这是20世纪80年代成立于北美的一个野外生存培训组织的名字，该组织旨在向儿童教授野外生存技能。如今，该组织归美国搜救协会（NASAR）管理。

结论
真

最好
白天赶路
夜里睡觉

一般是应该如此,但如果是走在沙漠里怎么办?白天的酷热难耐和夜晚的清风徐徐也许会让你改变想法……

展开说说

在极高的温度下,身体会通过出汗和呼吸迅速失水。在较凉爽的温度下行走会减少身体的水分消耗。美国的大峡谷国家公园是徒步的胜地,但白天这里的气温在38摄氏度以上,而夜里会降至零摄氏度以下。因此,白天找个阴凉的地方歇着,等凉快点再赶路,也许才是明智的做法。

救援不停

美国大峡谷国家公园的搜寻救援团队非常忙碌。2020年,他们共响应了235起救援事件。

结论

假

落水后身体放松的人更不容易溺水

是真是假？

如果突然失足落水，你一定会不由得陷入恐慌。然而，你越放松，活下来的可能性才会越大。

展开说说

如果身体在水里能放松，就更有可能浮起来。身体本身就具有浮力——也就是说，正常情况下，它会浮在水面上。仰面朝天漂浮着是最好受的，因为这样脸就不会泡在水里，人就可以呼吸了。如果脸部朝水里浮着，一定要不时地让头浮出水面，呼吸新鲜空气。

结论

真

37

打寒战
没什么
可担心的

群没事!

是真是假?

在寒冷的环境中，最重要的是要保持警觉，随时观察身体的变化。刚开始打寒战，可能不是什么大事，过一会儿就会暖和起来。但如果过了10~15分钟还是没有缓解，说明身体的温度还是不够。

展开说说

一旦打寒战超过10分钟，你就应该开始警惕了，要赶紧想办法让身子暖和起来。打寒战是身体在试图产生热量引起的。这样的能量消耗会让你感到精疲力尽，更没有体力去做那些能帮你获救的事了，这才是真正的要紧事。

肌肉运动

打寒战是不自觉的肌肉运动——你自己都无法控制。等到身体的温度恢复正常后，它会自动停止。

结论

假

38

流沙

只要几分钟就能

把人吞没

是真是假?

像无底洞一样的流沙我们只在电影里见过。大多数流沙的沙坑通常只有一米深,但它们仍然非常危险,我们需要掌握正确逃离沙坑的要领。

展开说说

不要挣扎,否则会陷得更深。设法抓住什么东西,比如树枝或树根。此外,要面朝上躺着,努力让双腿露在外面。做这些的时候动作要慢,这样才不会耗尽体力。

我感觉到在往下陷。

结论

假

不一样的沙子?

流沙和普通沙子并没有什么区别,它只是由普通沙子和涌上来的地下水混合而成,因此看上去像液体。

人体的大部分热量从头部散发

是真是假?

天气非常冷的时候你确实应该戴帽子,不过戴帽子和穿鞋袜、衣裤来保暖都是一个道理。

展开说说

人的身体天然会消耗热量,也能保存热量。人的血液是温暖的,它把热量带到全身。在血管靠近皮肤的地方,就会散发热量。头皮下方也有血管,天气寒冷的时候,这些血管就会散失热量。但它们散热的速度并不会比身体其他部位更快。

好冷!

如果被暴露在冷空气中什么都不穿,身体约有10%的热量会从头部散发出去!

结论

假

有人靠海龟和雨水存活

你得先抓得住我才行!

1971年，罗伯特森一家从英国乘坐一艘木船出发，踏上了周游世界的旅程。他们穿过大西洋，到达加勒比群岛，顺路搭载了一个"搭便车"的人。但是就在他们穿过太平洋的途中，船只遭到了虎鲸的袭击。

展开说说

船被撞毁了，他们只好用一只小艇和一个充气救生筏继续航行。过了一段时间，救生筏也用不了了，食物也被吃光了。他们想办法抓了几只海龟，吃海龟肉充饥，喝海龟的油和血解渴。他们还用容器接了一些雨水。过了38天，罗伯特森一家被一艘日本渔船救起。

结论

真

毒海龟

罗伯特森一家在选择海龟方面非常幸运。因为有一种叫玳瑁的海龟，它的肉对人类来说是剧毒!

41

在太空中没有生物能存活

无法想象有什么生物能在太空中存活：那里的温度要么高到极点，要么低到极点，没有空气，太阳辐射强烈。宇宙飞船都得经由巨大的科技武装后才能在太空中正常工作，更别说一个生物体了。

展开说说

然而，2008年，一队科学家将一些勇敢的生物送上了太空：水熊虫。这些微生物生长在地球上，通常在潮湿的苔藓中生存。在太空中，它们被暴露在极其严寒的天气和强辐射中，周围缺乏空气和水——但仍然有一些活下来了！

要会唱歌才能加入沙克尔顿的南极探险队

歌唱测试

啦啦啦!

是真是假?

1914年,大约有5 000人参加了欧内斯特·沙克尔顿组织的南极探险队的测试——其中,只有26个人通过了选拔。在面试环节,他们还被问到会不会唱歌!

幸存者

虽然遇到危险而没能完成探险,但沙克尔顿的探险队成员没有一个因此丧生,全都活了下来。

展开说说

沙克尔顿是一位了不起的极地探险家。在驾驶"坚韧号"远渡重洋前,他曾两次到达南极。坚韧号在大块浮冰上搁浅,被撞毁后沉船了。船员们在浮冰上幸存下来,后来想办法划着小船来到大象岛。沙克尔顿和另外6个人后来划船回到南乔治亚岛去寻求帮助,最终成功救出了其他船员。

结论

真

从一条蛇的眼睛形状就能判断它是否有毒

是真是假？

如果一条蛇眼睛正中的瞳孔是圆形的，那么它就是无毒的；如果瞳孔是椭圆形或一道竖线，那么它就有毒——其实，这是假的！

展开说说

关于如何鉴别毒蛇，有太多的"小窍门"，比如看眼睛，看脑袋的形状，看鼻子，看鳞片，或看它有没有热敏器官——热坑。通过看眼睛，只能判断出它是一条白天活动的蛇（瞳孔呈圆形）还是晚上活动的蛇（瞳孔呈竖线）。

本身有毒还是分泌毒液？

其实根本就没有毒蛇！有毒的东西是指吃下去或喝下去会有危险，而所谓"有毒"的动物其实只是会分泌毒液。

结论
假

45

我感到有事情要发生了……

要地震时狗狗会提前预警

几百年前,人们发现狗——还有其他动物——在地震前会表现异常。有人认为狗可以在地震发生前提前感知到微小的震颤,因为这种震颤太细微了,人类感觉不到。

展开说说

然而,要说狗能感知到地震前各种微小的细节,几乎没有什么科学依据。加拿大的一项研究发现,49%的狗在地震前会表现出焦躁不安的情绪,但这项研究不够充分,样本也不够广泛,因此不能作为参考依据。

蛇与地震

历史学家记载,公元前373年,希腊的一座城市里有一些动物——包括老鼠和蛇——有一天集体出逃了,此后没几天,一场地震就侵袭了这座城市。

结论
（可能）
假

饥饿时女性比男性撑得久

在面临饥饿时，女性很有可能比男性存活的时间长。研究人员认为，这是由于女性身体的脂肪和肌肉的比例比男性高。于是，当食物稀缺时，女性身体里的脂肪会先于肌肉组织被消耗。

展开说说

当身体极度缺乏能量时，会经历几个过程。首先，身体会利用血糖，接下来是肝脏里储存的糖分，最后会利用身体的脂肪。当存储的所有脂肪都用尽时，身体会开始破坏肌肉组织，对人体造成的后果可能是致命的。

无水饮食

1944年，2名科学家尝试只吃干粮，不喝水。结果一个坚持了3天，另一个坚持了4天，就放弃了实验。

结论

真

47

死去的
完美的

电影和求生节目里会出现这样的情节，可是死去的动物真的可以当成睡袋吗？求生专家表示：可以，但要根据户外的具体情况来判断。如果外面非常冷，一只体形较大的动物的尸体可以保护你一段时间，直到它也被冻上为止！

展开说说

虽然动物尸体可以在沙尘暴或暴风雪等极端天气条件下提供庇护，但这是最迫不得已的选择。用动物做睡袋还有一个很大的问题：它会引来饥肠辘辘的捕食者或以腐烂尸体为食的动物。

躲猫猫
电影里出现过人藏在死去的牛、马甚至鳄鱼尸体内的镜头！

结论
真

骆驼是睡袋

要勤练求生技能

我出来啦!

是真是假?

许多人都知道,身体在面临袭击时有一种"战斗还是逃跑"的反应。然而,当灾难来临时,人们往往会吓呆——正如正在面对作为捕猎者的动物。日常勤练求生技能可以帮助我们克服第一时间被吓傻的魔咒!

展开说说

科学家在研究灾难时发现,许多人面临灾难时会有很奇怪的表现,比如急忙收拾东西或打扫卫生。这是因为人在面对突发状况时,很难保证头脑清晰、反应迅速,于是不由自主地做起了日常事务。练习火灾或地震等灾难发生时的求生技能,可以让这些技能更容易变成面对危险时的下意识反应。

结论

真

拍照时间

许多人面临灾难时,不仅努力地接受了当下的险情,甚至还拍下了这些火灾或海啸的照片!

只有拿着金属物品才会被雷击中

老一辈流传下来的经验是打雷时不要拿任何金属物品。据说拿着雨伞也会引来雷击。事实上，雷暴和它产生的闪电太大了，根本不是一个小小的金属物品可以左右的。

展开说说

遇上雷雨天气最好是待在室内。如果外面打雷，没有任何东西能保护你。建筑物也会遭雷击，不过它们可以把电导向地面，而不是导向你。如果你被困在外面，一定要找一处开阔的地方，远离树木等高耸的物体。

穿戴金属

虽然穿戴金属并不会增加被雷击的概率，可是人一旦被雷击中，其身上任何金属物品都可能急速升温，导致身体被烫伤。

结论

假

海上漂流的最长时间记录是 133天

该记录的保持者是中国船员潘濂。但他这么做并不是有意为之！虽然不怎么会游泳，但他仍然从一次船只失事中幸存下来。他看到虽然有很多船只经过，但没有一个愿意停下来搭救他，因为当时正处于战争期间！

展开说说

潘濂当时是一艘英国货船上的船员。1942年，他所在的船被德国海军击沉。他设法在失事船只上找来一艘救生船，更幸运的是，船的甲板上还有食物和水！这些东西吃完后，他开始抓鱼，甚至还捕到了一头小型鲨鱼。最终，他被一队巴西渔民救起，结束了133天的海上漂流。

补给时间到

潘濂的救生船上的补给包括水、一包方糖、牛肉干、青柠汁和巧克力！

结论

真

52

我会再试一次……

有的人就是永不言弃

是真是假？

20世纪40年代，挪威人扬·巴斯路德被英国人培养为一名间谍。1943年，他接到一项任务，需要他偷偷潜入纳粹占领的挪威，破坏德国的军备，并招募更多挪威人来抵抗纳粹。但这项任务出了很大的问题！

结论

真

展开说说

德国人提前得到了通风报信，摧毁了挪威人的船只。只有扬成功上岸了。到达中立的瑞典是他的一线生机。他设法得到了当地的帮助，但是在一场雪崩中把所有东西都弄丢了。虽然他找到一处藏身之处，但由于冻伤，他不得不切除了自己的脚趾！最终他获救了，到了安全的地方，不过康复后，他就立刻又回到了抵抗纳粹的战场。

处在风暴眼很安全

是真是假?

虽然人们常说热带风暴的中心是晴空,但风暴眼仍然是一个危险的地方。热带风暴不断移动,任何在风暴外面的人都可能被风暴眼眼壁区那强劲的风吸走。

展开说说

热带风暴,或称飓风,会带来强风和强降水,所到之处,万物皆被摧毁。强风围绕着中心的风暴眼旋转,逐渐形成风暴。眼壁区包围着风暴眼,这里的风力是最强的。在靠近水的地区,潮水会涌入风暴眼,让它变得更加危险。风暴眼里面的区域虽然平静,但是充满了暴风一路上裹挟来的废弃物和碎片。

结论

假

热带风暴的名称

人们会给热带风暴命名,因为这些名字报道起来比数字和字母要便于识别。名字以英文字母表的顺序排列。如果一场飓风破坏性太大,它就会被除名,以后都不会再用这个名字来命名飓风了。

54

遇到 雪崩 时 可以把身体蜷起来 缩成一团

是真是假？

如果你听到轰隆隆的响声，感到起风了，抬头一看，一堵雪墙正向你轰鸣而来。这时你该怎么办？

展开说说

首选肯定是逃跑——不管是跑开，还是滑雪逃走，而且逃跑路线一定要和雪崩袭来的方向垂直。处在雪崩边缘的雪速度更慢一些，这样的路线可以减小我们受伤的概率。如果被困在雪崩中央，一定要努力保持双脚朝着山脚的方向，以确保颠簸的时候撞到的是你的脚，而不是头。还有一个选择是把身子缩成一团，双臂抱头，这样可以保护头部不受伤。

滚滚洪流

雪崩袭来时，雪就像奔腾呼啸的滚滚洪流，来势凶猛。雪奔流的时速可达320千米，并且一路上会裹挟越来越多的雪，声势越来越浩大。

结论······

真

洪水只有在很深的地方才危险

是真是假？

你可能会认为少量的水不具有危险性，但其实不是。30厘米深的水就可以让一辆停着的汽车浮动起来。快速流动的水甚至可以把人冲倒，哪怕这水还没有没过膝盖。

展开说说

即便你能在齐腰高的海里或河里蹚水，但洪水和这些水完全不是一个概念。洪水的流速可能很快，任何挡住其去路的东西都可能被冲跑——不管是超市购物车，还是动物。漂浮的废弃物碎片可能会把人弄伤，让人跌倒。洪水还很脏，特别是在当地的水利系统被冲垮破坏之后。

更多洪涝灾害

气候变化导致极端天气日益增多，全世界洪涝灾害发生的频率也随之增加。

结论

假

藏在水下时可以用芦苇秆呼吸

你一定会认为这很好用，因为浮潜用的呼吸管就很好用，它们看起来几乎一样嘛！其实，呼吸管之所以好用，是因为它又短又宽。如果想藏在水下，则需要长度更长的管子或芦苇秆，但这些东西根本就起不了作用。

展开说说

要在水下藏身，势必是潜到很深的位置了，这时水压作用于肺部，呼吸变得异常困难。此外，除非用很大的力气来呼吸，否则呼出的气根本到不了芦苇秆伸出水面那一端。也就是说，这一口气呼出去，下一口吸回来的还是刚才呼出去那口气——那能有什么用！

影视剧的误导

这个小技巧经常出现在电影和小说里。看上去似乎是好人躲避敌人的一个绝佳手段，但其实这样做根本不起作用！

结论

假

火山只有岩浆涌动时才危险

是真是假？

一想到火山喷发，你眼前一定会浮现出一幅炽热的岩浆从火山上缓缓流下的画面。这只是火山的一个危险之处而已，火山实际的危险远不止于此。火山喷发时，大量的火山灰、气体和岩石会被抛向空中。

展开说说

由滚烫的火山灰和气体构成的火山云笼罩着天空，令人无法呼吸。火山灰会吞没一切，极可能造成烫伤，让车辆和其他机器无法正常运转。除此以外，火山灰和岩石落到冰川上时，会产生一股碎片的洪流，危险异常。极速融化的冰还能引发极其危险的"火山泥流"。

嘭！
全世界约有活火山1 500座，其中有50座每年都会喷发！

⋯⋯结论

假

听到海啸预警要立刻到高处去

是真是假?

当海底发生地震时，地球的大陆板块运动会引发海啸——一种在海里汹涌的波涛。海啸快到达岸边时，海水可能会涌出来，随后会有一连串巨大的海浪冲上岸来。

展开说说

到了可能发生海啸的地方时一定要分外警觉，还要积极听取当地人的忠告。如果身处海岸边，要提前了解必要时该如何到达高处。如果来不及撤离，可以抓住一个固定的东西，或能帮助你漂浮的东西。

快速奔腾
海啸在海里行进的时速可达800千米!

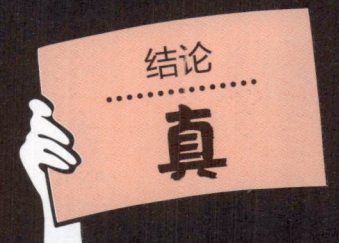

结论
真

59

要当心打哈欠的河马

是真是假?

当一只河马张开大嘴时，一定要小心：它看起来似乎是在打一个长长的、慵懒的哈欠，但其实是一个危险信号。河马是大型动物，但它们很容易受到惊吓，也十分热衷于保护自己的子女和领地。

展开说说

河马看起来文文静静的时候，也可能很凶残。如果不得不和河马相处，最好能不断发出噪声——如果你鬼鬼祟祟的，可能会吓到河马，更容易刺激它攻击你。千万不要在河马面前靠近河边。如果是在船上，务必要待在深水区，因为河马通常在浅水区活动。

好困啊!

结论

真

河马快跑!

河马在陆地上的奔跑时速可以达到30千米!

鸟儿总是飞向水边

是真是假？

如果你待在一个不熟悉的地方，可能很难找到水源。抬头看看天上飞的鸟儿可能会给你提供线索……也可能把你引入和水源完全不同的方向！

展开说说

一些鸟儿会向着有水的地方飞，但它们也会飞离水边。具体要看是一天中的什么时候：如果是白天，鸟儿可能会飞到水边找吃的；到了夜晚，它们会飞回陆地上安全的鸟巢中过夜。鸟儿是一条线索，但也还有一些其他的线索，比如沿着山坡往下走，会更容易找到水源。

追随动物的脚步

陆地动物在傍晚或夜里会在水源处扎堆——根据这些动物的活动轨迹，就能找到前进的方向！

结论

假

61

吃虫子可以让人活命

是真是假？

在世界上许多地方，吃虫子是稀松平常的事。如果在野外没吃的了，要想活命，虫子或许能成为你饮食的一个重要组成部分，不过，要学会精确分辨哪些是可以放心吃的！

展开说说

蚂蚱和蟋蟀都富含蛋白质，是不错的选择，只要你能抓住它们——不过一定要先弄熟了再吃。蚂蚁和白蚁也很美味，不过要多抓一些才够吃。你也可以搬开木头，找一些昆虫幼虫来吃。蝎子也可以吃——只是别忘了先把它的毒刺拔掉！

结论⋯⋯⋯
真

呃⋯⋯
你认真的吗？

虫子大餐

未来假如把虫子大量纳入我们的饮食范围，或可解决食物短缺的问题。

奢侈

也许能救你一命

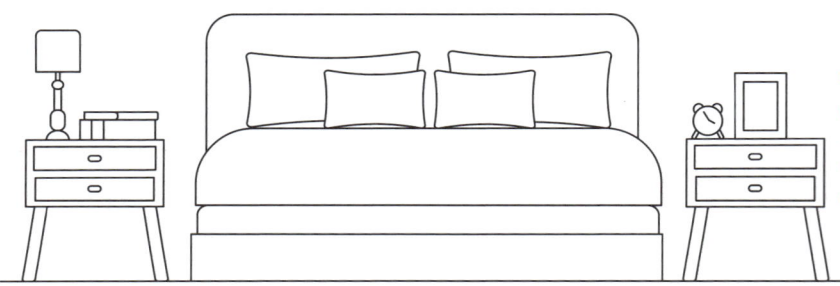

有的人应对灾难是通过不断提高野外生存技能，囤积大量罐头食品，还有一些人则是投资建设各种各样的逃生地堡！

展开说说

一个基本的地堡一般是建在地下的一处加固结构，里面有应急发电机和一些食物。而美国堪萨斯州有一座"终极末日豪宅"，里面有许多豪华公寓，每个都配有数间无比奢华的卧室和独立浴室，还有健身房和泳池，洗衣机和烘干机也一应俱全。这座豪宅建在一个被废弃的核导弹发射井里。

结论
·········
真
（如果你非常富有的话！）

舒适惬意的逃亡
一座逃生豪宅可供75个人在地下生存5年！

地震时要站在门口

是真是假？

一份报纸曾经登载了一幅图：地震过后，整座房子全倒塌了，只剩一扇门在原地屹立不倒。这大概就是"地震时最好待在门口"这个谣言的一处由来。

结论
....
假

展开说说

在过去的老式房子里，门口可能是房子里比较坚固的一个部分。而在现代房子里，门口不可能比房子里其他地方坚固。地震时要想保证安全，要做到"卧倒""躲好""抓牢"，也就是蹲下，躲在坚固的家具底下，牢牢抓住藏身的家具，等待地震过去。

吸石头可以帮助我们补充水分

是真是假？

这是一个老掉牙的生存建议，而且可笑到家了。其背后的原理是吸石头会让嘴巴误以为你在吃东西，从而分泌唾液，这样就能达到补水的目的。

展开说说

这条建议的问题就在于，吸石头时人体实际上根本就没有从体外摄入新的水。身体用体内原有的水分产生了唾液，这一过程给身体增加了额外工作量，反而可能让人比一开始更缺水！这样做还额外增加了被石头噎到的风险。

结论
....
假

看着鲨鱼的眼睛能帮你逃生

你瞅啥?

是真是假?

幸亏鲨鱼很少袭击人。假如真的在水里遇到鲨鱼，不要惊慌，因为这样会让鲨鱼更具有攻击性。迎着鲨鱼的目光，让它知道你一点都不害怕。如果鲨鱼靠近了，要把它轻轻推开——我们无须激怒它，但也要告诉它我们不好惹。

展开说说

鲨鱼本来并不吃人。鲨鱼是食肉动物，不同种类的鲨鱼，食物也不尽相同，从浮游生物到鱼类和海豹，它们什么都吃。在人类被鲨鱼咬伤的案例中，通常都是鲨鱼在自然状态下释放天性的结果。比如，它们错把冲浪或游泳的人当成了海豹。

一些关于鲨鱼的数字

世界上约有500种鲨鱼，只有10种左右曾袭击人类。反倒有三分之一的鲨鱼种类在人类活动的影响下濒临灭绝。

结论
....
真

落水洞
又深
又危险

落水洞是指户外地上塌陷的坑，很少有征兆，或根本没有任何征兆预示它们的塌陷。这些坑小到1米深，大到50米深，塌陷前几乎没有什么预兆。如果你看到路上有个坑，应立刻呼救，千万不要靠近坑的边沿！

展开说说

在世界上有些地方，落水洞比在其他地方常见。当地表下的岩石或矿物质被水侵蚀，或地下溶洞的洞顶坍塌时，就会产生落水洞。

结论
真

好深啊！

世界上最大的落水洞是位于中国重庆市奉节县的小寨天坑，它长626米，宽537米，深约600米！

野草不能用来充饥

人们花大量的时间种植各种美味的蔬菜，但仍然有许多靠自己生长的食物同样美味又健康——并且总是长势喜人，超过人类精心打理的作物。这里说的就是野草！

展开说说

尽管有些野草吃了会让人生病，不过还有许多是可以吃的，所以了解野草很有益处。特别是快要饿死的时候，它们可以保命！浑身是刺的荨麻（参见第4页）和毛茸茸的蒲公英富含营养；繁缕和小酸模既能生吃，也能做熟了吃。就连长在池塘里的浮萍，也能晒干制成富含营养的浮萍粉末。

结论

假

野菜

人们发现，和一些从市面上买来的绿叶蔬菜相比，有的野草甚至含有更多的营养。

69

在沉船里也可能活下来

是真是假？

这本来是不可能的事。船沉到海底，整体都会被泡在水里。在海底，找到淡水和食物的可能性微乎其微。然而，曾有2个在海底成功存活的著名案例。

展开说说

2013年，一辆拖船翻船后沉到了海底。船上的一个船员，哈里森·奥克尼，设法找到一个气穴[1]并且在3天后获救。1991年，一名戴着水肺的潜水员在一艘沉船里进行调查作业时，水肺上的呼吸器破了。他在一处气穴中以生海胆充饥，并于2天后获救。

1 指还未被水浸没的地方，许多空气聚集在一起，可供幸存者呼吸。——译者注

深水"后遗症"

获救后，哈里森·奥克尼不得不在减压舱内待了2天，才从在深海里待了那么久的状态下恢复过来。

结论

真

蛇咬伤急救包在野外是必备物品

是真是假？

如果要在有蛇的地方徒步旅行，你可能会想要随身带一个被蛇咬伤时可以用的急救包。不过，一些专家认为，带这样的急救包反而弊大于利……

展开说说

蛇咬伤急救包里一般会有一种抽吸设备，用来将蛇毒从伤口吸出。然而，蛇毒一旦进入血液，便立刻从被咬伤处扩散了，这时你甚至都来不及把急救包拿出来，更别说用了。自己处理伤口还可能让情况更糟糕。如果你被蛇咬了，清洁一下伤口，然后迅速就医！

结论

假

"小显身手"

蛇咬伤急救包里还有别的可用于处理蚊虫叮咬之类的东西，所以它在这些方面还是可以派上用场的！

一张全家福
▶可能成为◀
逃生工具

是真是假？

当你被困在荒凉的沙漠里时，在你最希望可能随身携带的物品中，全家福恐怕不是首选。但是，野外生存专家却认为，这样的一张全家福会时刻提醒你家里有人在等着你，这恰好是鼓舞你活下去的关键。

展开说说

是否能独自在极其艰难的生存环境中活下去，很大程度上取决于心态。这时，手头如果有一张家人的照片，会让我们集中精神，感到活着有盼头，从而增强我们的求生意志。

结论
真

掉进冰窟千万别挣扎

是真是假?

在结冰的河面或湖面上滑冰充满乐趣,但同时也可能充满危险。有的冰面比较薄,稍有不慎就可能掉进冰窟!万一真的不幸落入冰窟,要把住冰块的边缘,用胳膊攀着冰块。千万别擅自往外挣脱——这是极其艰难的。

展开说说

你可以把屁股撅起来,同时用力蹬腿踩水,在水里保持平趴的姿势。以这个姿势不断蹬腿,趴在水面上,直至浮出洞口。爬出来后,不要站起来,因为这样很可能再一次掉进去。相反,要"连滚带爬"地离开洞口,慢慢靠岸。

结论

真

冷休克!

突然掉入寒冷刺骨的冰水会让人出现冷休克,喘不上气来——这时要尽力冷静下来,保持呼吸平稳。

73

火星上有生命体存在

嘿，你好呀！

是真是假？

微型生物是指极小的生命体或微生物。它们是如此细小，不用显微镜根本看不到。地球上这种微生物几乎无处不在……那么太空中呢？

太空研究

太空生物学是一门研究生命体在太空中如何生存的科学。

展开说说

科学家认为，火星表面早在数十亿年前就已经有水的存在。由于水通常和生命关系密切，所以有可能那时候火星上就有生命的存在了。火星大气中甲烷的存在表明，目前火星上仍有可能存活着微生物。科学家做实验，在地球上模拟火星的恶劣生存条件来培养微生物，看看它们是否能存活。

结论

八成为真

74

蛆虫可以清理伤口

我们是来干正事的!

呼噜呼噜，坏死的组织真好吃!

是真是假?

这也是一个能在电影中看到的疯狂画面，但它还真的管用!据说古人就经常把蛆虫放在开放性伤口或感染了的伤口上，让它们吃掉坏死的皮肤和肌肉组织，以促进伤口愈合，使病人活下来。

展开说说

这种蛆虫疗法大获成功，直到今天仍被运用于医学界。蛆虫是苍蝇的幼虫。它们以坏死的组织为食，而不吃健康组织，这样恰好有利于伤口愈合。蛆虫还会产生能分解坏死组织的物质，然后再就着伤口里的细菌一起把这些坏死组织吃掉。

水蛭的爱

除了蛆以外，还有一个好用的生物是水蛭。水蛭通常生长在潮湿的环境中，医学上可用于刺激受损肢体或手指、脚趾等的血液循环。

结论

真

仙人掌的汁液可以喝

是真是假?

如果被困在沙漠里，你可能会以为仙人掌能救命吧。毕竟生长在这片不毛之地的仙人掌能吸收难得一遇的雨水，并把它们存储在肥硕多汁的身体里。

展开说说

假如仙人掌的汁液轻易就能得到的话，那它们早就被一切焦渴难耐的沙漠生物吃得片甲不留了。大多数仙人掌除了用浑身的尖刺防身外，还含有一些化学物质，会让吃喝它的生物患上非常严重的疾病。只有2种仙人掌例外，那就是梨果仙人掌（参见第87页）和巨鹫玉（又叫"鱼钩球"）仙人球。

像仙人掌但不是仙人掌

大戟科有一些植物长得很像仙人掌——它们生长在南非和马达加斯加。这些植物含有一种对人体有毒的白色黏液。

结论

....

假

别急，我来帮你！

阳光可以起到净化水源的作用

是真是假？

假设你在野外，有一瓶水，但你又不确定它是否干净卫生。怎么办呢？只需把它放在太阳底下，阳光会帮你把它净化的！

展开说说

阳光不会去除水里的任何杂质和污垢（这需要通过过滤来完成），可它会杀灭所有细菌。太阳光中含有紫外线，它可以穿透水里的一切微生物并且消灭它们。

结论

真

"眼力"过人的鸟儿和蜜蜂

我们人类看不到紫外线，但是鸟类和蜜蜂却能看到！

77

遇见狮子赶紧跑

是真是假?

世界上跑得最快的人,是牙买加短跑健将"飞人"博尔特,他的时速是44千米,而且只能跑较短的距离。而狮子的奔跑时速是80千米,你不可能跑过狮子,所以放弃吧。比起逃跑,更好的做法是与之保持眼神接触,再慢慢后退。

展开说说

狮子扑人多数情况下只是吓唬吓唬你,或者看看你要干什么。这时你应该把双臂举起,拼尽全力大吼。如果手上有东西,把它扔向狮子。如果不是独自一人,一定要和同伴待在一起,尽量让你们几个人整体看起来是个庞然大物。

爱睡觉的"大猫"

狮子通常每天只活动4小时,其余时间都在睡觉!

结论
假

"适者生存"
是达尔文
最早提出的

1859年，博物学家查尔斯·达尔文发表了一部著作，叫《物种起源》。他在这本书里说，那些能最好地适应环境的动物才能生存下来并繁衍后代。

结论 ……
假

展开说说

这部著作非常有名，后来在1869年再版时，达尔文用了"适者生存"这句话，然后这句话也火了。然而，这句话并非达尔文原创。他是引用了哲学家赫伯特·斯宾塞的话，斯宾塞在其1864年的著作中写下了这句话。还有一个奇妙的巧合，斯宾塞是在看了达尔文早期的著作后受到启发才想出的这句话。

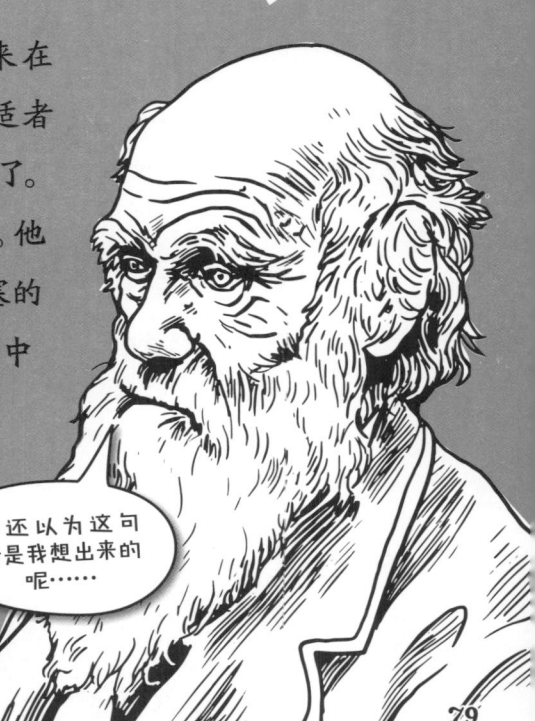

我还以为这句话是我想出来的呢……

79

动物能

动物通过两种方式辨别气味：它们可以闻到物质中的气味分子，或闻到其他动物——包括人类——身上散发出的一种叫"信息素"的化学物质。然而，大多数动物只能接收到同物种的信息素。

结论

半 **真**

半 **假**

"闻出恐惧"

闻着像鸡肉······又有点像恐惧的味道······

展开说说

狗和其他动物略有不同。研究人员做了一个实验，让狗分别去闻一个受到惊吓的人穿过的T恤和一个开心的人穿过的T恤，然后观察这些狗的不同反应。他们发现，闻了"恐惧"T恤的狗表现得更焦躁不安。人们还用马做了类似的实验！

鼻子里的秘密

狗的嗅觉异常发达：人有大约600万个嗅觉受体，而狗的嗅觉受体可达3亿个，数量是人类的5倍！

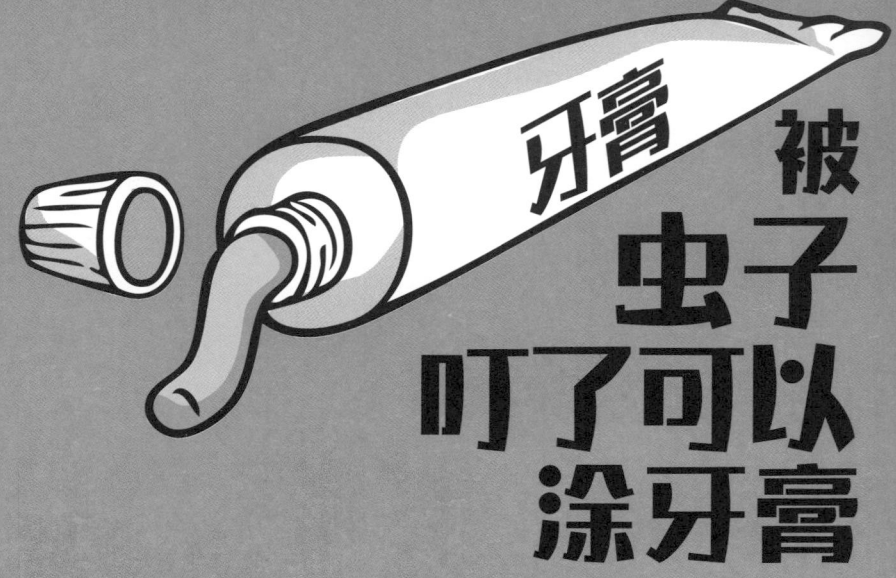

牙膏 被虫子叮了可以涂牙膏

是真是假?

被虫子叮咬或蜇伤时,虫子会在我们的皮肤里注入一种化学物质,让我们身体感觉不舒服。被叮咬的地方会起红疙瘩,还会觉得痒。这时最好不要去挠,因为如果把皮肤挠破,会引起进一步的危害。那么,该怎么办呢?

展开说说

抹一坨牙膏看似有点奇怪,但确实管用。牙膏里的薄荷成分会带来一种清凉的感觉,这种感觉会在大脑中取代发痒的感觉。除了止痒,牙膏的清凉感还具有消肿的功效。

结论
....
真

大自然就是良医
还有一些对付蚊虫叮咬的天然良药,包括蜂蜜、罗勒、醋和茶包!

可以从树上获取饮用水

是真是假？

从树上取水需要利用树木天然的蒸腾作用。树从地底下吸收水分，将这些水吸收利用后，再将一部分水通过叶片上的小孔排出。

展开说说

将一个塑料袋小心翼翼地系在一根有叶子的树枝上，把叶子包住，树叶上的水就会流进袋子里。这些水会在袋子的内壁上凝结，然后流到袋子底部。只要树叶和袋子都干净，这些水就能喝！

> 弟可真是了不起！

结论

真

树的滋味

从不同树上收集来的水味道也不一样！不过，有毒的树木产生的水里也可能含有毒素，所以选择树的时候一定要当心。

83

雪洞里
比外边的
冰天雪地
还冷

建雪洞是一个很好的搭建应急住所的选择——不过它需要很长时间！首先要找到一个足够坚固的雪堆，雪还不能是湿的。如果可能的话，还要在一个隐蔽背风的地方。

展开说说

直接在雪堆里往上挖，直到能舒适地坐起来即可。然后在墙壁里挖一个床铺出来——床铺要高于地面，这样可以使冷空气下沉，让身处上方的人保持温暖舒适。哪怕外面的温度非常低，雪洞里的温度也可以达到0摄氏度，甚至更高！

不可或缺的雪地用具

到雪地里探险时，随身带一把雪铲是非常有用的，甚至可以带一把冰雪锯！

结论

假

口渴了可以收集露水来喝

露水是清晨大地上结的一层薄薄的雾状水蒸气。在世界上最干旱的地区，人们数千年来都在利用这种安全可靠的水资源。

展开说说

考古学家发现，古代南美洲和古埃及人建造了专门用来收集露水的石瓦堆。如果你处于被困在外面，同时又缺水的情况下，可以在晚上将一块干净的布挂在外面，清晨把里面收集到的露水拧出来，就能喝到水了。还可以用一块干净的布去擦拭植物及其叶子，来收集上面的露水。

朝露晨雾

朝露和晨雾这对搭档，对那些极度缺乏清洁水源的人们来说，是无可比拟的好帮手。

结论

真

85

被熊袭击时要装死

是真是假？

如果遇到熊，有很多"千万不要"须谨记：不要跑开，不要爬树，不要装死——除非你遇到的是头灰熊！

展开说说

千万不要试图把熊吓到或是吓跑，这样只会加大被它攻击的风险。正确的做法是要慢慢后退，两手举起来，语气平静地和它说话。如果熊发起攻击，手上有什么就拿什么砸它——赤手空拳也好，用石头或树枝也行。但是假如是一头灰熊，就可以装死了：趴在地上俯卧，双臂抱头，记得把背包给背上！

不同的熊

棕熊和灰熊同属一种——棕熊生长在沿海地带，而灰熊生长在内陆地区。黑熊的体形稍小一些，毛色也更黑一些。

结论

半真半假

86

带刺的植物不能吃

是真是假?

在野外时难免需要觅食。一般的忠告是不要吃带刺的植物,可是蓟类植物和梨果仙人掌呢?它们俩都可以放心吃!

展开说说

蓟类植物让人比较棘手的就是它的刺——采摘时要戴上手套。把刺拔掉,就可以吃它的茎了。梨果仙人掌这类仙人掌去掉刺以后,果实和叶片都可以吃。野外有很多植物是可以吃的,也有很多吃了会让人恶心甚至生病。除非你确切地知道这是什么植物,否则千万别乱碰!

可怕的亲戚

含有剧毒的毒芹,和胡萝卜、欧芹、茴香等都是近亲,它们同属于伞形花科植物。

结论

假

有人在埋在雪里的车里生活了2个月

是真是假？

2012年，当一帮骑着雪地摩托车的骑行者在瑞典一条荒废的公路上发现一辆被雪埋起来的汽车时，他们万万想不到会在车里发现什么。车里有一名男子，蜷缩在睡袋里，只有漫画书作伴，饿了就用雪充饥。他已经在那儿待了2个月了。

展开说说

有些医生认为，这名男子之所以能活下来，是因为他的车被积雪包裹，形成了冰屋效应——在车里起到了隔热的作用，让车里的温度不会降至外面的零下22摄氏度。还有一名医生说，这名男子可能已经达到了一种接近冬眠的状态，在这种状态下，身体几乎不需要能量。

可以隔热的冰

雪是由冰和空气构成的。雪的冰晶中储存的空气可以阻止热量散出去。

结论

真

冰可以用来生火

可是我会化掉的呀!

首先我们需要一块干净透明的冰。然后要把它打磨成圆盘状——类似两面凸起的圆盘。

接下来要为这块冰定形、抛光,好让它变得光滑。可以用一块石头打磨,然后用手的温度来让它变得光滑。这样就形成了一个冰做的凸透镜。把它放在阳光下,就能看到地上有个光点。对准角度,让这个光点照到一些干燥易燃的引火物上。这时透镜会把太阳光里的热量集中在一点,要不了一会儿,就可以把引火物点燃了!

结论

真

89

词汇表

安第斯山脉: 位于南美洲的一座山脉。

保温: 用某种能防止热量散失的材料把某物包起来,以达到保护的效果。

北半球: 地球上赤道(一条虚拟的线,这条线到地球两极的距离相等)以北的半球。

病原体: 一种能造成疾病的微生物。

补给: 为一次旅行准备的食物、水和装备等。

导航: 为当前所处的位置定位并规划到达某地的路线。

地堡: 建在地下的高大的房间,可用作储藏室等。

地标: 某个区域中容易被识别的物体或结构。

冬眠: 动物或植物在冬天里的深度睡眠状态。

冻伤: 身体因暴露在极度严寒中而造成损伤。

毒液: 蛇、蝎等动物分泌的有毒物质。

对称: 指物体中心线的两边看起来完全相同。

废弃物: 散落在各处的垃圾。

浮冰: 一大块漂浮着的冰。

辐射: 某些物体释放出来的一种可能会造成机

体损伤的能量。

感染: 病菌进入体内而引发疾病。

构造板块: 地球的地壳和地幔中缓慢运动的部分,

是地震和火山喷发产生的原因。

过滤: 让液体流过分离设备使被其净化的过程。

环境: 人或动物周围的事物。

寄生虫: 一种存在于宿主体表或体内的微生物, 利用宿主的资源生存。

甲烷: 一种无色无味的气体。

减压舱: 一间可以调节气压的小房间, 通常在深海潜水中需要调节至海平面以上正常气压时使用。

截肢: 切除一部分肢体。

窘迫: 陷入极度的贫穷或困境。

裂缝: 深的、开放的缝。

摩擦: 一个表面和另一个表面相互接触并阻碍对方相对运动。

摩尔斯密码: 一种字母编码体系, 每个字母都用一串不同的点号和短横等表示。

南半球: 地球上赤道(一条虚拟的线, 这条线到地球两极的距离相等)以南的半球。

失温: 指人体温度下降至危险水平, 导致正常活动都难以进行。

水平的: 形容物体与地平线平行, 平躺而不是直立或垂直的状态。

探险: 人们为了特定的目标而计划和实施的旅行。

脱水: 指身体失去大部分水分的状态。

唾液: 一种嘴里分泌的有助于消化的液体。

微生物: 一种微小的有机体, 尤指细菌或病毒。

细菌: 一种可能导致疾病的微生物。

纤维: 植物中含有丝线状物质。

药用: 形容用于医疗方面的材料。

营养素: 身体成长和存活所需的物质。

有毒的: 形容摄入体内会导致疾病甚至死亡的物质。

余烬: 一小块未燃尽的木头。

蒸腾作用: 植物通过叶片上的小孔 (气孔) 排出水蒸气的过程。

指针式手表: 用指针来显示时间的手表, 这个概念是相对于显示数字的电子手表而言的。